POLEGLI NA POLU CHWAŁY
1939 · 1945

Wojna wyzwoleńcza narodu polskiego przeciwko hitlerowskim Niemcom była sprawiedliwą wojną o jego istnienie i niepodległy byt, o pełne zwycięstwo nad najeźdźcą.

Polska, napadnięta 1 września 1939 r., jako pierwsza w Europie stawiła zbrojny opór hitlerowskiemu agresorowi. Mimo bohaterstwa żołnierzy oraz patriotycznej i zdecydowanej postawy narodu, ponieśliśmy klęskę na skutek błędnej polityki i niezdolności obronnej burżuazyjnego państwa, bezczynności zachodnich sojuszników oraz przewagi najeźdźcy.

Warszawa, opuszczona przez rząd i naczelne dowództwo, broniła się bohatersko do 27 września, obrońcy Helu stawiali opór do 2 października. Ostatnią regularną bitwę stoczył żołnierz polski pod Kockiem 5 października.

Straty zadane wojskom hitlerowskim wyniosły ponad 45 000 zabitych i rannych, około 1000 wozów pancernych i 600 samolotów. Żołnierzy polskich poległo lub zostało rannych około 200 000.

Po klęsce 1939 r. w podbitym przez najeźdźcę kraju rozpoczął się nowy etap wojny wyzwoleńczej. Narastający ruch oporu przeciw okupantowi i jego zbrodniczemu terrorowi, ogarniał coraz szersze warstwy narodu i od wiosny 1942 r. przerodził się wysiłkiem polskiej lewicy w partyzancki ruch zbrojny. Front partyzanckiej walki zbrojnej z okupantem zapoczątkowanej przez Gwardię Ludową stale rozszerzał się i w 1943 r. objął znaczną część okupowanych ziem polskich. Działalność partyzancką rozwijały także inne organizacje konspiracyjne, głównie Bataliony Chłopskie i Armia Krajowa.

Bohaterski i desperacki opór stawiali hitlerowcom powstańcy żydowscy w Getcie warszawskim (IV–V. 1943) i białostockim (VIII. 1943), w obozach zagłady w Treblince, Sobiborze i innych, przy pomocy polskich organizacji konspiracyjnych.

Ruch partyzancki skupiający patriotyczne siły narodu skutecznie przeciwdziałał terrorowi i eksterminacyjnej polityce okupanta, osłabiał jego siły, stanowił istotną pomoc dla sojuszników, zwłaszcza dla frontu wschodniego — decydującego frontu II wojny światowej. Dobitnym tego wyrazem były uderzenia na strategiczne linie komunikacyjne i transporty wojenne nieprzyjaciela oraz dezorganizacja zaplecza wojsk hitlerowskich na froncie wschodnim. Rozmach i skuteczność działań partyzanckich zmusiły okupanta do utrzymywania w poszczególnych okresach na ziemiach polskich do 600 000–800 000 żołnierzy Wehrmachtu oraz około 130 000 wojsk SS i policji (łącznie z odwodami frontu wschodniego).

W 1944 r. w okresie letniej ofensywy wojsk radzieckich siły partyzanckie swymi działaniami zmusiły wroga do angażowania znacznych ilości wojsk na tyłach frontu, m.in. w bitwach w lasach Lipskich, Janowskich, w Puszczy Solskiej, w lasach Parczewskich, pod Radoszycami.

Również powstanie warszawskie, wywołane 1 sierpnia 1944 r. przez reakcyjnych polityków, przekształciło się w spontaniczną masową walkę ludu stolicy przeciw znienawidzonemu okupantowi.

Ogółem w podziemnej walce zbrojnej na ziemiach polskich w połowie 1944 r. uczestniczyło aktywnie ponad 100 000 partyzantów. Ponadto front walki obejmował również inne formy oporu, jak sabotaż, dywersja, wywiad, tajne nauczanie itp.

Kilkadziesiąt tysięcy Polaków uczestniczyło także w ruchu oporu we wszystkich okupowanych krajach Europy: w radzieckim ruchu partyzanckim, w Czechosłowacji, Rumunii i na Węgrzech, w Jugosławii, Grecji i Albanii, we Francji i Włoszech, w Belgii, Holandii i Luksemburgu, w Danii i Norwegii. W większości tych krajów działały odrębne polskie oddziały partyzanckie. Polacy uczestniczyli również w ruchu oporu w obozach koncentracyjnych i jenieckich oraz w akcjach sabotażowych na przymusowych robotach w Niemczech.

Do walki zbrojnej o wyzwolenie kraju włączyli się też Polacy przebywający na terytorium ZSRR. Po wyprowadzeniu przez gen. Andersa armii polskiej z ZSRR na Bliski Wschód, z inicjatywy Związku Patriotów Polskich na ziemi radzieckiej w maju 1943 r. powstała 1 Dywizja Piechoty im. T. Kościuszki, która pierwszą bitwę z Niemcami stoczyła 12 października 1943 r. pod Lenino. Wkrótce dywizja rozwinęła się w korpus, a od marca 1944 r. w 100-tysięczną armię, która 22 lipca 1944 r. połączyła się z Armią Ludową walczącą w kraju oraz innymi demokratycznymi organizacjami zbrojnymi, tworząc jednolite ludowe Wojsko Polskie. Wspólnie z radzieckimi siłami zbrojnymi kontynuowało ono, jako siła zbrojna odrodzonego państwa polskiego, wojnę wyzwoleńczą na rozstrzygającym froncie walki z najeźdźcą. Jednostki WP walczyły nad środkową Wisłą, niosły pomoc powstańcom warszawskim, wyzwoliły Warszawę, walczyły na Wale Pomorskim i wybrzeżu — o Kołobrzeg, Gdańsk i Szczecin. W 1945 r. WP liczyło już 400 000 żołnierzy w składzie dwóch armii ogólnowojskowych, korpusu pancernego i lotniczego, samodzielnych związków różnych rodzajów wojsk i licznych jednostek specjalnych. W kwietniu 1945 r. WP wzięło udział w operacji berlińskiej od Odry i Nysy Łużyckiej po Łabę. 1 Dywizja Piechoty im. T. Kościuszki oraz jednostki artyleryjskie i saperskie były jedynymi związkami wojsk sojuszniczych, które obok Armii Radzieckiej uczestniczyły w bezpośrednim szturmie Berlina. Polskie sztandary, zatknięte obok radzieckich na pruskiej Kolumnie Zwycięstwa i Bramie Brandenburskiej, stały się widomym symbolem naszego aktywnego udziału w zwycięstwie nad hitleryzmem.

W ostatnich dniach wojny 2 Armia WP uczestniczyła także w wyzwoleniu bratniej Czechosłowacji, docierając do Mielnika i przedmieść Pragi.

Żołnierz polski walczył również u boku sojuszników zachodnich. Odbudowane po klęsce wrześniowej 1939 r. przez rząd emigracyjny Polskie Siły Zbrojne na Zachodzie osiągnęły w maju 1940 r. liczbę 85 000 żołnierzy i wzięły udział w walkach w obronie Francji, w bitwie o Narwik w północnej Norwegii, a po klęsce francuskiej w obronie wysp brytyjskich. Polscy lotnicy w walkach powietrznych nad Anglią w drugiej połowie 1940 r. strącili 15% wszystkich zniszczonych samolotów hitlerowskich. W latach 1941—43 polskie oddziały uczestniczyły w walkach w Afryce Północnej, zwłaszcza w obronie Tobruku. Jednostki 2 Polskiego Korpusu brały udział w kampanii włoskiej 1944—45 w bitwach o Monte Cassino, Ankonę i Bolonię, a dywizja pancerna i brygada spadochronowa — w północnej Francji, Belgii, Holandii i północnych Niemczech — w bitwie pod Falaise, w walkach o Bredę, Arnhem i Wilhelmshaven. W składzie 1 Armii Francuskiej walczyły w Alzacji i południowozachodnich Niemczech 19 i 29 zgrupowania polskie sformowane z oddziałów partyzanckich we Francji.

Polskie dywizjony lotnicze na Zachodzie w wyprawach bombowych i walkach powietrznych w latach 1940—45 zrzuciły około 15 000 ton bomb i min oraz strąciły 951 samolotów i 193 pociski latające V-1.

Okręty polskiej marynarki wojennej działając na różnych morzach i oceanach uczestniczyły w 787 konwojach i 1200 rejsach bojowych oraz w operacjach desantowych w Norwegii, Afryce Północnej, Sycylii i Francji.

Ogółem w końcowej fazie wojny Polskie Siły Zbrojne na Zachodzie liczyły około 200 000 żołnierzy.

Polska straciła w tej wojnie ponad 6 mln swych obywateli i 38% majątku narodowego. Mogiły żołnierzy i partyzantów polskich rozsiane są na wszystkich polach bitewnych II wojny światowej, na ponad 1200 cmentarzach w kraju i na obcej ziemi; od Narwiku po Tobruk, od Lenino po Liverpool. Są one symbolami wysiłku i ofiar narodu polskiego w wielkiej wojnie przeciw faszyzmowi, trwałymi pomnikami chwały żołnierza walczącego „Za Waszą i naszą wolność".

RADA OCHRONY POMNIKÓW WALKI I MĘCZEŃSTWA

POLEGLI NA POLU CHWAŁY
1939 · 1945

WYDAWNICTWO · RUCH · WARSZAWA 1970

W tysiącletnich dziejach Państwa Polskiego lata 1939—1945 były jednym z najcięższych okresów dla naszego kraju i narodu.

Te lata zapisały się w pamięci każdego Polaka jako wielki egzamin patriotyzmu i umiłowania Ojczyzny. Był to okres tragedii i zarazem okres bezgranicznego bohaterstwa, okres heroicznej walki, prowadzonej przez cały naród w obronie wartości najwyższych, jakimi są wolność i niepodległość.

Przez blisko sześć lat trwała walka z hitleryzmem. Prowadziliśmy walkę o niepodległość, o istnienie narodu ożywieni nadzieją zwycięstwa nad faszyzmem.

Polska napadnięta zdradziecko 1 września 1939 roku, jako pierwsza w Europie stawiła zbrojny opór hitleryzmowi.

Pomimo ogromnej przewagi wroga na lądzie, w powietrzu i na morzu ulegliśmy po trzydziestu pięciu dniach zaciętego oporu. Zadaliśmy najeźdźcy poważne straty.

Na wrześniowych polach bitew poległo za Ojczyznę dziesiątki tysięcy polskich żołnierzy.

Po klęsce 1939 roku, w okupowanym przez hitleryzm kraju, rozpoczął się nowy etap walki — wojna wyzwoleńcza. Już w październiku 1939 roku zrodzony ruch oporu rozwijał się stale i ogarniał coraz szersze warstwy narodu, a z czasem przekształcił się w partyzancki ruch zbrojny, który w 1943 roku objął już znaczną część okupowanych ziem polskich. Walczyli żołnierze Gwardii i Armii Ludowej, Batalionów Chłopskich i Armii Krajowej i członkowie innych organizacji konspiracyjnych.

O rozmachu i skuteczności działań partyzanckich świadczy fakt, że zmuszały one okupanta do utrzymywania w poszczególnych okresach na ziemiach polskich 600—800 tysięcy żołnierzy Wehrmachtu oraz około 130 tysięcy wojsk SS i policji.

Partyzanci stoczyli z wrogiem wiele bitew; największe z nich to bitwy w lasach Lipskich i Janowskich, w Puszczy Solskiej, w lasach Parczewskich, pod Rąblowem, pod Gruszką.

Polacy walczyli nie tylko w okupowanym kraju. Nasz żołnierz walczył z hitleryzmem na wszystkich frontach II wojny światowej. Bili się Polacy we Francji i w Norwegii, w Afryce i we Włoszech, w Holandii, Belgii i Jugosławii.

Na bratniej ziemi radzieckiej powstała pierwsza jednostka ludowego Wojska Polskiego — 1 Dywizja Piechoty im. Tadeusza Kościuszki. Wkrótce przekształciła się ona w Korpus, a następnie w 100-tysięczną Armię. Żołnierze Ludowych Sił Zbrojnych byli pierwszymi, którzy dotarli do Ojczyzny, walcząc ramię w ramię z żołnierzami bratniej Armii Radzieckiej niosąc wyzwolenie narodowi. Polsce przywrócili odwieczne piastowskie ziemie nad Odrą, Nysą i Bałtykiem i ponieśli zwycięskie biało-czerwone sztandary aż do stolicy III Rzeszy — do Berlina.

Sztandary te, obok radzieckich na pruskiej Kolumnie Zwycięstwa i Bramie Brandenburskiej, stały się widomym symbolem zbrojnego wysiłku narodu i naszego udziału w rozgromieniu hitleryzmu.

Nastąpiło to po długich latach walki, a zwycięstwo okupione zostało ofiarą życia ponad 6 milionów obywateli naszego kraju.

Mogiły polskich żołnierzy i partyzantów rozsiane są na wszystkich bitewnych polach II wojny światowej, na ponad 1200 cmentarzach w kraju i na obcej ziemi — od Narviku po Tobruk, od Lenino po Liverpool ...

Te mogiły są trwałymi pomnikami żołnierskiej sławy wszystkich, którzy polegli na polu chwały walcząc o wolność i niepodległość Ojczyzny, którzy w imię najwyższych ideałów oddali własne życie ...

Im też — polskim żołnierzom i partyzantom, bojownikom ruchu oporu, uczestnikom wyzwoleńczej walki na ziemi polskiej poświęcamy ten album.

Chcemy aby nigdy nie zginęła, aby wiecznie żyła w polskich sercach pamięć o tych, którym nie dane było dożyć Dnia Wolności, a którzy o tę wolność walcząc, polegli na polu chwały.

Wieczna sława poległym!

Przewodniczący
Rady Ochrony Pomników
Walki i Męczeństwa

Janusz Wieczorek

1939—1945 годы были одним из самых тяжких периодов в тысячелетней истории польского государства и народа.

Эти годы сохранились в памяти каждого поляка, как великое испытание патриотизма и любви к родине. Ибо годы национальной трагедии были вместе с тем эпохой безграничного героизма, самоотверженной борьбы всего народа в защиту величайших ценностей—свободы и независимости.

Без малого шесть лет боролся польский народ против гитлеризма. Мы сражались за свою свободу, за жизнь народа, руководимые верой в полную победу над фашизмом.

Подвергшаяся 1 сентября 1939 года вероломному нападению Польша была первой в Европе страной, оказавшей вооруженное сопротивление гитлеризму.

Несмотря на огромное численное превосходство врага на суше, в воздухе и на море, Польша в течение 35 дней ожесточенно отстаивала свою свободу. Фашисты понесли значительные потери.

На полях сентябрьских битв пали , защищая родину, десятки тысяч польских солдат.

После поражения 1939 года в оккупированной гитлеровцами Польше начался новый этап борьбы — освободительная война. Неуклонно развивалось и ширилось народившееся уже в октябре 1939 года движение Сопротивления, в которое включались все новые слои населения. Со временем оно вылилось в боевое партизанское движение, которое охватило к 1943 году значительную часть оккупированной польской земли. На борьбу с врагом поднялись солдаты Гвардии и Армии Людовой, Батальонов Хлопских, Армии Крайовой и других подпольных организаци.

О размахе и эффективности партизанских действий может свидетельствовать факт, что гитлеровцы вынуждены были в отдельные периоды содержать на территории Польши 600—800 тысяч солдат вермахта и около 130 тысяч эсэсовцев и полиции.

Партизаны не раз вступали в открытый бой с врагом. К крупнейшим партизанским битвам принадлежат бои в Липских и Яновских лесах, в Сольской пуще, в Парчевских лесах, бои под Ромбловом и Грушкой.

Но поляки били врага не только на оккупированной родной земле. Польский солдат сражался против гитлеризма почти на всех фронтах второй мировой войны. Поляки сражались во Франции и Норвегии, в Африке и Италии, Голландии Бельгии, Югославии...

На братской советской земле родилась первая боевая единица народного Войска Польского — 1-я пехотная дивизия им. Тадеуша Костюшко. Вскоре она была преобразована в корпус, а затем превратилась в 100-тысячную армию. Бойцы народных вооруженных сил, сражавшиеся плечом к плечу с солдатами братской Советской Армии, первыми вступили на родную землю, освобождали Польшу, вернули ей исконные пястовские земли на берегах Одры, Нисы и Балтийского моря и донесли свои победные бело-красные знамена до самой столицы третьего рейха — Берлина.

Эти знамена были водружены рядом с советскими знаменами на прусской колонне Победы и на Бранденбургских воротах, как зримое свидетельство вооруженного участия польского народа в разгроме гитлеризма.

Свобода, пришедшая на смену долгих лет борьбы и страданий, была окуплена смертю более чем 6 миллионов граждан нашей страны.

Могилы польских солдат и партизан рассеяны по всем полям битв второй мировой войны, прах польских борцов за свободу и независимость покоится на более чем 1200 кладбищах, в Польше и на чужбине — от Нарвика до Тобрука и от Ленино до Ливерпуля...

Эти могилы являются вечными памятниками солдатской славы, осеняющей полегших на поле брани, в борьбе за свободу и независимость родины, отдавших во имя величайших идеалов собственную кровь и жизнь.

Им, польским солдатам и партизанам, борцам Сопротивления и участникам освободительных боев на польской земле, посвящается настоящий альбом.

Пусть никогда не угаснет, пусть вечно живет в польских сердцах память о тех, кто не дожил до радостного дня Освобождения, кто беззаветно сражался за свободу и пал на поле брани.

Вечная слава павшим!

Председатель
Совета по охране памятников
борьбы и мученичества

Януш Вечорек

In the one thousand-year long history of Polish statehood, the period between 1939–1945 was one of the most difficult for our country and nation.

No Pole will ever forget these years which were a crucial test of patriotism and love of the Motherland. It was a tragic period and at the same time one of boundless heroism. Those were years of heroic struggle of the entire nation in the defence of the highest values — liberty and independence.

The struggle against Nazism lasted for almost six years. We fought for our independence, for the existence of the nation, inspired by the hope of victory over fascism.

Treacherously attacked on September 1, 1939, Poland was the first country in Europe to offer armed resistance against Nazism.

Despite the overwhelming superiority of the enemy on land, sea and in the air, we put up a fierce resistance for 35 days, before succumbing to the enemy. We inflicted heavy losses upon the invader.

Tens of thousands of Polish soldiers lost their lives in the defence of their country during the September campaign.

After the 1939 defeat, a new stage of fighting – the liberation struggle began in the country occupied by the Nazis. The Polish resistance movement was born as early as in October 1939. It developed steadily, embracing ever wider strata of the population and becoming gradually an armed partisan movement which by 1943 encompassed already a large part of the Polish territories occupied by the Nazis. Among the fighters there were soldiers of the People's Guard and the People's Army, the Peasant Battalions and the Home Army, as well as members of other underground organizations.

A proof of the wide range and effectiveness of the partisan activity was the fact that the occupant was forced to keep in various periods from 600 to 800 thousand Wehrmacht soldiers and a force of about 130,000 SS crack troops and police on Polish territories.

The partisans fought many battles against the enemy; the largest ones took place in the forests of Lipsko, Janów, Solsko and Parczew and in the vicinity of the villages of Rąblów and Gruszka.

Poles fought the Nazis not only in the occupied country. Our soldiers fought against the Nazis on all fronts of the Second World War. Poles fought in France and in Norway, in Africa and in Italy, in Holland, Belgium and Yugoslavia.

The first unit of the Polish People's Army – the First Infantry Division named after Tadeusz Kościuszko, was formed on fraternal Soviet land. Soon it was turned into a corps and then into a 100-thousand strong army. Soldiers of the People's Armed Forces were the first to reach the Motherland, fighting shoulder to shoulder with soldiers of the fraternal Soviet Army, bringing liberty to the nation. They restored Poland's ancient territories on the Odra and Nysa rivers and the Baltic Sea, carrying their victorious white-and-red banner as far as Berlin, the capital of the Third Reich.

Those banners hoisted along the Soviet ones on the Prussian Column of Victory and the Brandenburg Gate, turned into a striking symbol of the armed struggle and effort of the entire nation, and of our contribution in defeating Nazism.

All this happened after long years of struggle, and the victory was paid for with the lives of more than six million Polish citizens.

Graves of Polish soldiers and partisans are scattered over all the battle fields of the Second World War. They can be found in more than 1,200 cemeteries, both in Poland and abroad – from Narvik to Tobruk, from Lenino to Liverpool...

These graves are lasting memorials to the heroism of all soldiers who died a glorious death, fighting for the freedom and independence of their Motherland, who paid with their own lives for the loftiest ideals.

It is to them – Polish soldiers and partisans, members of the resistance movement, participants in the liberation struggle on Polish soil, that this album is devoted.

This is done in memory of all those who relentlessly fought for freedom, but who died a glorious death and did not live to see the Day of Liberty. May this memory never be effaced, may it live forever in the hearts of the Polish people.

Eternal glory to those fallen!

Chairman
of the Council for the Protection of Monuments
to Struggle and Martyrdom

Janusz Wieczorek

Dans l'histoire millénaire de l'État polonais, la période 1939–1945 a été l'une des plus pénibles pour notre pays et notre peuple.

Ces années se sont inscrites dans la mémoire de chaque Polonais comme un grand examen de patriotisme et d'amour de la patrie. Ce fut une période de tragédie et en même temps de dévouement sans bornes, une période de lutte héroïque menée par le peuple tout entier pour la défense de ces biens suprêmes: la liberté et l'indépendance.

Pendant près de six ans, nous avons combattu l'hitlérisme, lutté pour notre indépendance, pour l'existence de la nation, fortifiés par l'espoir de la victoire sur le fascisme.

La Pologne, traîtreusement attaquée le 1er septembre 1939, fut la première en Europe à opposer une résistance armée à l'hitlérisme.

Malgré l'énorme supériorité de l'ennemi sur terre, dans les airs et sur mer, nous n'avons cédé qu'après trente-cinq jours de résistance acharnée. Nous avons infligé des pertes importantes à l'agresseur.

Des dizaines de milliers de soldats polonais sont morts pour la patrie au cours de la compagne de septembre.

Après la défaite de 1939, la lutte dans le pays occupé par l'hitlérisme est entrée dans une nouvelle étape, la guerre de libération. Née dès octobre 1939, la Résistance n'a pas cessé de se développer, englobant des couches de plus en plus larges de la nation et avec le temps, elle a pris la forme d'un mouvement armé de partisans qui, en 1943, s'étendait déjà sur une grande partie du territoire polonais occupé. Soldats de la Garde et de l'Armée Populaires, des Bataillons Paysans et de l'Armée de l'Intérieur, et membres d'autres organisations clandestines, combattaient.

On trouve la preuve de l'ampleur et de l'efficacité des actions de partisans dans le fait qu'elles obligeaient l'occupant à maintenir sur le territoire polonais de 600.000 à 800.000 soldats de la Wehrmacht suivant les périodes et environ 130.000 membres de la SS et de la police.

Les partisans ont livré de nombreuses batailles à l'ennemi; les plus grandes sont celles des bois de Lipa et de Janów, de la forêt Solska (dans la vallée de Sandomierz), des bois de Parczew, les batailles de Rąblów et de Gruszka.

Les Polonais ne combattaient pas seulement en Pologne occupée. Nos soldats ont lutté contre l'hitlérisme sur tous les fronts de la IIe Guerre Mondiale. Les Polonais se sont battus en France et en Norvège, en Afrique et en Italie, en Hollande, en Belgique et en Yougoslavie.

C'est sur la terre soviétique fraternelle qu'est née la première unité de l'Armée Populaire Polonaise, la Ire Division d'Infanterie, Tadeusz Kościuszko. Peu après, elle s'est transformée en Córps d'Armée puis en Armée de cent mille hommes. Ce sont les soldats des Forces Armées Populaires qui, en combattant au coude à coude avec les soldats de la fraternelle Armée Soviétique, ont atteint les premiers la Patrie, apportant au peuple la libération. Ils ont rendu à la Pologne les terres séculaires des Piasts sur l'Odra, la Nysa et la Baltique, ils ont porté les drapeaux blanc-rouge victorieux jusqu'à la capitale du IIIe Reich, Berlin.

Ces drapeaux, plantés à côté des drapeaux soviétiques sur la colonne prussienne de la victoire et sur la Porte de Brandenbourg, ont été le symbole manifeste de l'effort militaire de la nation, de notre participation à l'écrasement de l'hitlérisme.

Cela eut lieu après de longues années de lutte, et la victoire avait été payée de la vie de plus de 6 millions de citoyens de notre pays.

Les tombes des soldats et des partisans polonais sont disséminées sur tous les champs de bataille de la IIe Guerre Mondiale, dans plus de 1.200 cimetières, en Pologne et à l'étranger, de Narvik à Tobrouk, de Lenino à Liverpool...

Ces tombes sont les monuments durables de la gloire militaire de ceux qui ont péri au champ d'honneur en combattant pour la liberté et l'indépendance de la Patrie et qui, ont fait don de leur vie pour la victoire de cet idéal.

C'est à eux, soldats et partisans polonais, résistants, combattants de la lutte libératrice en territoire polonais, que nous consacrons cet album.

Nous voulons que la mémoire de ceux à qui il n'a pas été donné de vivre jusqu'au Jour de la liberté et qui, en combattant, sont tombés au champ d'honneur, ne s'efface jamais et vive éternellement dans les coeurs des Polonais.

Gloire éternelle à ceux qui ont péri!

Président
du Conseil de la Sauvegarde des Monuments
de la Lutte et du Martyre

Janusz Wieczorek

In der tausendjährigen Geschichte des polnischen Staates stellen die Jahre 1939–1945 eines der tragischsten Kapitel für unser Land und Volk dar.

Im Bewußtsein eines jeden Polen waren es Jahre, in denen Patriotismus und Vaterlandsliebe einer schweren Prüfung unterzogen wurden. Diese tragischen Jahre waren aber zugleich eine Zeit beispiellosen Heldentums, eine Zeit aufopferungsvoller Kämpfe, die das Volk zur Verteidigung der höchsten Werte — der Freiheit und Unabhängigkeit — führte.

Fast sechs Jahre lang kämpften wir gegen den Hitlerfaschismus, verteidigten wir unsere Existenz, beseelt von der Hoffnung, den endgültigen Sieg über den Faschismus davonzutragen.

Polen, das am 1. September 1939 hinterhältig überfallen wurde, hat als erstes Land in Europa dem Hitlerfaschismus bewaffneten Widerstand geleistet.

Trotz einer gewaltigen Überlegenheit der feindlichen Kräfte zu Lande, in der Luft und auf der See haben wir 35 Tage lang den Angriff des Feindes abgewehrt und ihm schwere Verluste zugefügt.

Viele Tausend polnischer Soldaten sind im September 1939, ihre Heimat verteidigend, auf den Schlachtfeldern gefallen.

Nach der Niederlage im Jahre 1939 begann in dem vom Feind besetzten Land eine neue Kampfetappe — der Befreiungskrieg des Volkes. Die bereits im Oktober 1939 entstandene Widerstandsbewegung entwickelte sich unablässig und erfaßte immer breitere Schichten des Volkes. Nach und nach wurde sie zu einer bewaffneten Partisanenbewegung, die sich 1943 bereits auf einen großen Teil der besetzten Gebiete erstreckte. Es kämpften die Soldaten der Volksgarde, der Volksarmee, der Bauernbataillone, der Heimatarmee sowie anderer illegaler Organisationen.

Von der Reichweite und Wirksamkeit der Partisanenaktionen zeugt die Tatsache, daß sich der Feind zeitweise gezwungen sah, 600- bis 800 000 Soldaten der Wehrmacht sowie rund 130 000 Soldaten der SS und Polizei auf polnischem Boden in Kampfbereitschaft zu halten. Die Partisanen lieferten dem Feind viele Schlachten, von denen die Kämpfe in den Wäldern von Lipsko und Janów, in der Heide von Solsk, in den Wäldern von Parczew, bei Rąblów und Gruszka zu den erbittertsten gehörten.

Polen haben nicht nur in ihrem vom Feind besetzten Land gekämpft. An fast allen Fronten des zweiten Weltkrieges haben unsere Soldaten an den Kämpfen gegen die Hitlerfaschisten teilgenommen.

Ob in Frankreich oder Norwegen, in Afrika oder Italien, in Holland, Belgien oder Jugoslawien — überall haben Polen die Waffen ergriffen.

Auf dem brüderlichen sowjetischen Boden wurde die erste Einheit der polnischen Armee gegründet, die I. Infanteriedivision „Tadeusz Kościuszko". Schon bald entwickelte sich die Division zu einem Korps und wenig später zu einer 100 000 Mann zählenden Armee. Es waren Soldaten dieser Volksarmee, die als die ersten den heimatlichen Boden erreichten und, Schulter an Schulter mit den Soldaten der brüderlichen Sowjetarmee kämpfend, Polen die Befreiung brachten. Sie waren es, die die uralten, schon zur Piastenzeit Polen gehörenden Gebiete an Oder, Neiße und an der Ostsee für die Heimat wiedergewannen. Sie waren es, die die siegreichen weiß-roten Fahnen bis nach Berlin — der Hauptstadt des Dritten Reichs — trugen.

Diese Fahnen, die neben denen der Sowjetunion auf der preußischen Siegessäule und auf dem Brandenburger Tor gehißt wurden, waren ein sichtbares Symbol des bewaffneten Kampfes des polnischen Volkes und dessen Teilnahme an der Zerschmetterung des Hitlerfaschismus.

Dies wurde nach langen Kampfes- und Leidensjahren erreicht. Der Sieg kostete sechs Millionen Bürgern unseres Landes das Leben.

Die Gräber der polnischen Soldaten und Partisanen sind über alle Schlachtfelder des zweiten Weltkrieges verstreut, wir finden sie auf über 1200 Friedhöfen in unserem Lande und auf fremder Erde: zwischen Narvik und Tobruk, zwischen Lenino und Liverpool...

Diese Gräber sind zugleich unvergängliche Denkmäler des Soldatenruhms, Denkmäler zur Huldigung all jener, die im Kampf für die Freiheit und Unabhängigkeit ihres Vaterlandes auf dem Feld der Ehre gefallen sind, all jener, die erhabener Ideale willen ihr Leben geopfert haben.

Ihnen allen, den polnischen Soldaten und Partisanen, den Kämpfern der Widerstandsbewegung, den Teilnehmern des Befreiungskampfes, der auf polnischem Boden geführt wurde, ist dieses Album gewidmet.

Es ist unser Wunsch, daß das Gedenken an all jene in den Herzen der Polen für immer fortlebe, denen es nicht gegeben war, den Tag der Freiheit mitzuerleben, die, um diese Freiheit kämpfend, auf den Feldern der Ehre gefallen sind.

Ewiger Ruhm den Gefallenen!

Der Vorsitzende
des Rates zum Schutz der Denkmäler des
Kampfes und Martyriums

Janusz Wieczorek

Wrzesień 1939

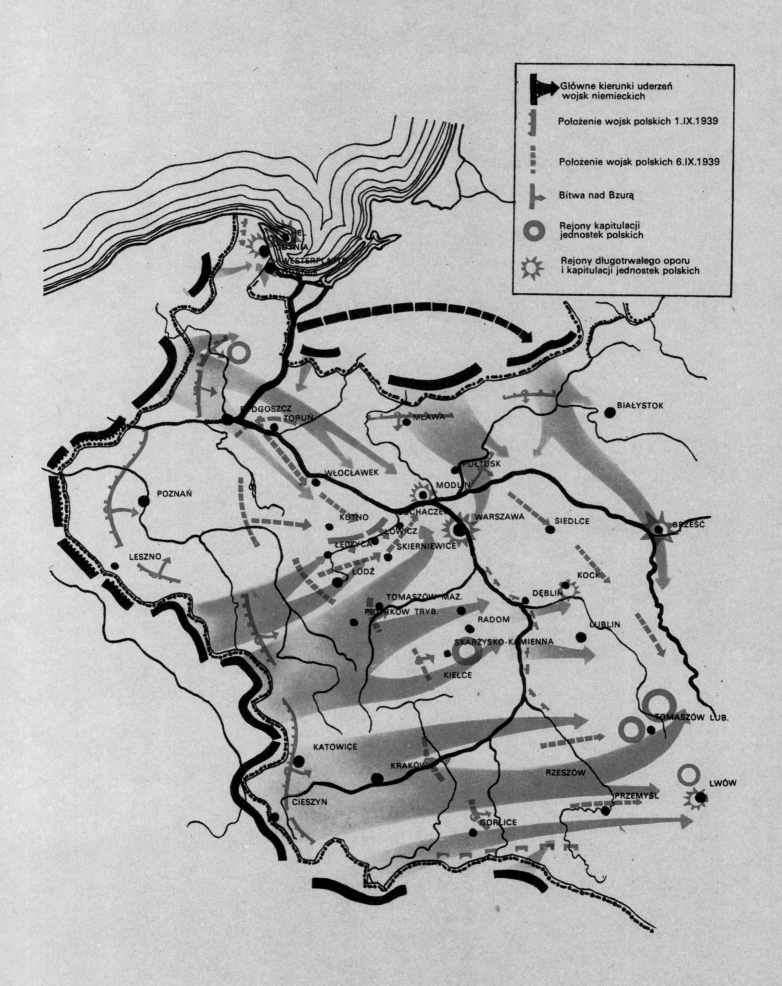

BIAŁYSTOK

MŁAWA

PUŁTUSK

BYDGOSZCZ
TORUŃ

WŁOCŁAWEK

MODLIN

POZNAŃ

KUTNO

SOCHACZEW

WARSZAWA

SIEDLCE

BRZEŚĆ

ŁOWICZ

ŁĘCZYCA

SKIERNIEWICE

LESZNO

ŁÓDŹ

KOCK

TOMASZÓW MAZ.

DĘBLIN

PIOTRKÓW TRYB.

RADOM

LUBLIN

SKARŻYSKO-KAMIENNA

KIELCE

TOMASZÓW LUB.

KATOWICE

KRAKÓW

RZESZÓW

LWÓW

CIESZYN

PRZEMYŚL

GORLICE

WESTERPLATTE

WESTERPLATTE
KATOWICE
RUDA ŚLĄSKA
MŁAWA
PIOTRKÓW TRYBUNALSKI
TROJANÓW
WIZNA
ŁĘCZYCA
LASKI
GRANICA
SKÓRZEC
KRAŚNIK
WARSZAWA
MODLIN
HEL
KOCK
WOLA GUŁOWSKA

WIECZNA CZEŚĆ I CHWAŁA
BOHATERSKIM HARCERKOM
KTÓRE SWOJE MŁODE ŻYCIE ODDAŁY OJCZYŹNIE
W WALCE Z NAJEŻDŻCĄ HITLEROWSKIM
WE WRZEŚNIU 1939 ROKU

W XVIII ROCZNICĘ NAJAZDU HITLEROWSKIEGO

MIEJSKA RADA NARODOWA
W KATOWICACH

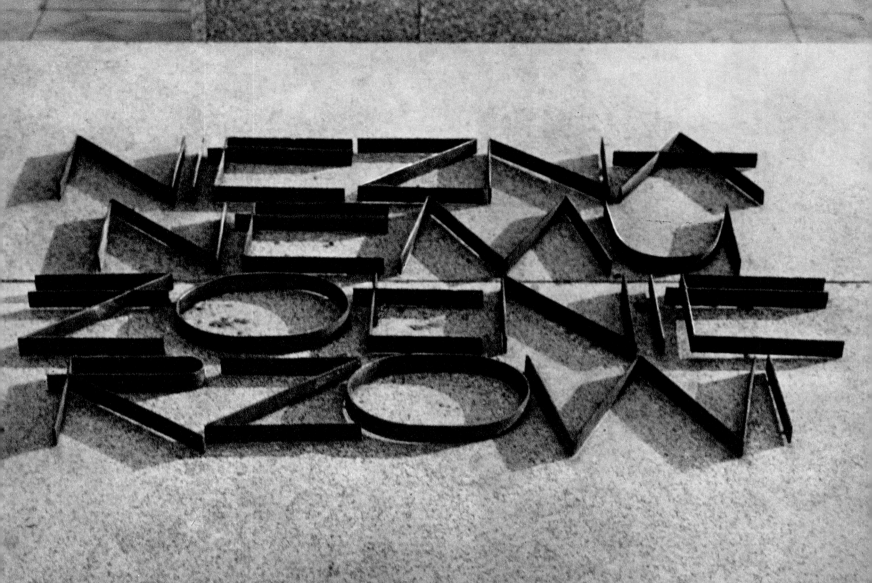

13

ŻOŁNIERZOM
60 PUŁKU PIECHOTY
WIELKOPOLSKIEJ
KTÓRZY ODDALI SWE ŻYCIE
ZA OJCZYZNĘ
WE WRZEŚNIU 1939

TĘ TABLICĘ
W 20 ROCZNICĘ
ICH BOHATERSKICH WALK
POD ŁĘCZYCĄ

UFUNDOWAŁO   SPOŁECZEŃSTWO
M. OSTROWA WLKP.

WRZESIEŃ 1959

KU WIECZNEJ PAMIĘCI ŻOŁNIERZY
24 PUŁKU UŁANÓW IM. HETMANA ST. ŻÓŁKIEWSKIEGO
POLEGŁYCH NA POLU CHWAŁY W WALCE O WOLNOŚĆ OJCZYZNY
NA POBOJOWISKACH POLSKI FRANCJI BELGII HOLANDII I NIEMIEC

UŁ. A. ANDRZEJAK	KPR. Z. KUBAS	UŁ. ST. PIZOŃ K.W.	
UŁ. T. BARTYCHA	KPR. I. KERBEL	UŁ. ST. PODLEŚNY	
UŁ. K. BESZTAK	KPR. I. KRECZAK	UŁ. M. PROS K.W.	
KPR. I. BŁASZCZAK	ST. UŁ. W. KOLENDA	UŁ. A. PŁAWECKI V.M. K.W.	
WACHM. H. BORYŁŁO	ST. UŁ. H. KASPEREK	RTM. ST. ROMER V.M. K.W.	
ST. UŁ. W. BRYCHEY	ST. UŁ. I. KARABIN	MJR. ST. RAGO V.M. K.W.	
UŁ. I. CHAPULA K.W.	ST. UŁ. E. KORYTOWSKI	PPOR. T. RADKE	
ST. UŁ. J. CZYŻEWSKI	ST. UŁ. K. KONECZNY	KPR. W. RETHAUSLER	
ST. UŁ. H. CZECHARA	ST. UŁ. ST. KRASUSKI	ST. UŁ. A. ROŻYCKI	
ST. UŁ. AL. CZRNIEWSKI	UŁ. W. KOŁODZIEJCZYK	ST. UŁ. H. RYMARCZYK	
POR. ST. CHYBA	UŁ. Z. KARASIEWICZ	ST. UŁ. ST. RAPA K.W.	
	UŁ. ST. KROL K.W.	ST. UŁ. I. RADCZYK	
UŁ. W. CHRUSCIŃSKI	UŁ. F. KRASOWSKI	ST. UŁ. WŁ. RYNKOWSKI	
UŁ. R. CHRESZCZ	UŁ. J. KOTWICA	UŁ. A. RUTKOWSKI	
UŁ. I. CHMIELOWIEC	RTM. K. KOZŁOWSKI	UŁ. WŁ. REIK	
KPR. WŁ. CZEKIRDA K.W.	KPR. Z. ŁOBODA K.W.	UŁ. E. ROŚCISZEWSKI	
UŁ. J. DEMBIŃSKI	UŁ. J. LIS	UŁ. ST. RADOŃSKI	
UŁ. F. DUDA K.W.	UŁ. I. ŁOJ	POR. I. SKIRMUNT	
UŁ. K. DURA	UŁ. T. LEŚNIEWRSKI	PPOR. E. SAWCZUK	
UŁ. L. DĄKOWSKI	UŁ. T. ŁUCYK	PPOR. I. SADOWNIK K.W.	
KPR. I. DEJZEK	UŁ. J. ŁOZIŃSKI	PPOR. K. STAFJ	
KPR. W. DZIECHCIARZ V.M.	KPR. WŁ. MYDEL	PPOR. I. SZCZEPADOWSKI	
ST. UŁ. ST. FLORCZAK	KPR. L. MROWKA	KPR. F. SICZEK K.W.	
ST. UŁ. ST. FRĄCEK	ST. UŁ. A. MATYSIAK	KPR. WŁ. STAWROWSKI	
UŁ. WŁ. GORNIAK	ST. UŁ. B. MAJ	KPR. WŁ. STEFANOWSKI	
UŁ. I. GÓRNIAK	ST. UŁ. AL. MAZUR	ST. UŁ. J. SMOLECKI	
POR. Z. BUKRABA V.M.	PLUT. E. MORCHONOWICZ K.W.	ST. UŁ. L. STALBOWSKI	
KPR. WŁ. GANO K.W.	UŁ. R. MUCHA	UŁ. WŁ. SĄCAWA	
KPR. W. GUSCIERA	UŁ. T. MAZUREK S.W.	UŁ. H. SIDOROWICZ	
UŁ. M. GRĄCZYK	UŁ. R. KITRUS K.W.	UŁ. I. SKRZYPCZAK	
UŁ. H. GAJBA	UŁ. WŁ. NIEĆKO	UŁ. I. SOŃCZAK	
UŁ. G. GOLDSTAMB	UŁ. E. NARLECH	UŁ. M. SZYMCZAR	
UŁ. A. GĄSKA	ST. UŁ. ST. NOWAK	POR. A. TROCKI	
ST. UŁ. WŁ. GORECZNY K.W.	PLUT. ST. NIEWĘGŁOWSKI	ST. UŁ. L. TARGONSKI K.W.	
PPOR. A. GODOWSKI K.W.	PLUT. I. OLEJNICZAK	ST. UŁ. P. TOMASIK	
RTM. Z. HEMPEL V.M.	PLUT. H. OLEKSOWICZ	KPR. M. TUSZYŃSKI	
KPR. ST. HURSCH	ST. UŁ. I. OLICWIER	UŁ. I. TERESZKO	
UŁ. ST. JABŁOŃSKI V.M.	UŁ. I. OSTROWSKI	UŁ. H. TROJAN	
PPK. I. KAŃSKI V.M.S.K.W.	UŁ. ST. OTREDA	UŁ. W. WALEJEWSKI	
PPOR. ST. KAMIŃSKI	RTM. M. PIWORSKI 2 P.W.	PLUT. W. WOŁKOWICZ K.W.	
PPOR. R. KUŹNIK	PPOR. I. PALECZNY	ST. UŁ. B. WACHOWIAK	
PPOR. ZB. KRETKOWSKI	PLUT. I. PODZIEWEK	ST. UŁ. L. WASILEWSKI K.W.	
PLUT. P. KRZECZEK	KPR. I. PRODAN	ST. UŁ. ST. WIERZCHOWIAK	
PLUT. F. KLACK	ST. UŁ. ST. PAŁKA	UŁ. M. ZABROŻNY K.W.	
KPR. WŁ. KUCHNIAK	UŁ. I. PIETRZYK	ST. UŁ. I. ŻADŁO	
KPR. I. KARSKI	UŁ. Z. PŁODOWSKI	WACHM. B. ZIETAL K.W.	
	UŁ. I. PIATROWSKI		

ORAZ NIEZNANYCH Z NAZWISK POLEGŁYCH W WALCE Z OKUPANTEM
I NIEZNANEGO ŻOŁNIERZA KTÓREGO PROCHY TU SPOCZYWAJA
DOLCE ET DEKORUM EST PRO PATRIA MORI

1939 + 1940 + 1944 + 1945

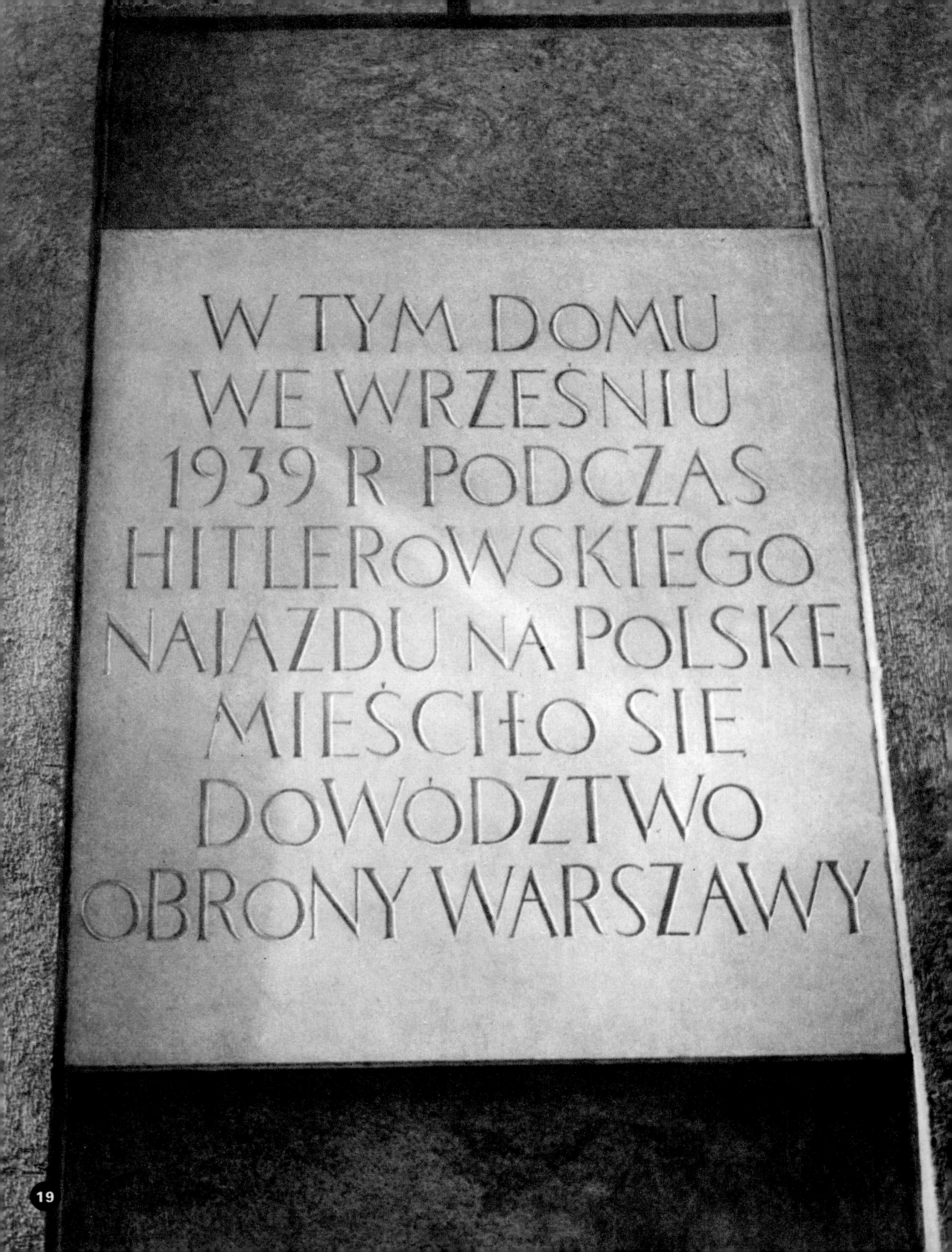

W TYM DOMU
WE WRZEŚNIU
1939 R PODCZAS
HITLEROWSKIEGO
NAJAZDU NA POLSKĘ
MIEŚCIŁO SIĘ
DOWÓDZTWO
OBRONY WARSZAWY

20

Thommée, którzy polegli w długotrwałych i zaciętych bojach z Niemcami w obronie twierdzy modlińskiej we wrześniu 1939 r.
Proj. pomnika – E. Piwowarski

21 · Hel – Pomnik w kwaterze bohaterskich marynarzy polskich – obrońców Helu w 1939 r., poległych w walce z przytłaczającymi siłami hitlerowskiej armii. Obrona Helu stanowi jedną z najpiękniejszych kart historii Wojny Obronnej Polski w 1939 r.
Proj. pomnika – K. Litwin

22 · Hel – Fragment pomnika z tablicą, na której widnieją nazwiska bohaterskich marynarzy poległych w obronie Helu w 1939 r.

23 · Kock – Pomnik ku czci bohaterskich żołnierzy Wojska Polskiego Samodzielnej Grupy Operacyjnej „Polesie" dowodzonej przez gen. bryg. Franciszka Kleeberga,
poległych w czasie walk z przeważającymi siłami niemieckiej armii. Pomnik wzniesiony na cmentarzu wojennym pod Kockiem, gdzie wśród poległych żołnierzy spoczywają prochy bohaterskiego dowódcy, zmarłego w latach wojny w hitlerowskiej niewoli. Samodzielna Grupa Operacyjna „Polesie" po ostatniej zwycięskiej walce z Niemcami musiała kapitulować w dniu 6.X.1939 r. na skutek braku amunicji i zaopatrzenia w żywność. Była to ostatnia bitwa kampanii wrześniowej 1939 r.
Proj. pomnika – S. Strzyżyński, J. Olejnicki

24 · Kock – Fragment pomnika na cmentarzu wojennym.

25 · Kock – Cmentarz wojenny z 1939 r. żołnierzy Samodzielnej Grupy Operacyjnej „Polesie".

26 · Wola Gułowska – Cmentarz wojenny żołnierzy z Samodzielnej Grupy Operacyjnej „Polesie", poległych w czasie ostatniej bitwy kampanii wrześniowej 1939 r.

W walce z okupantem

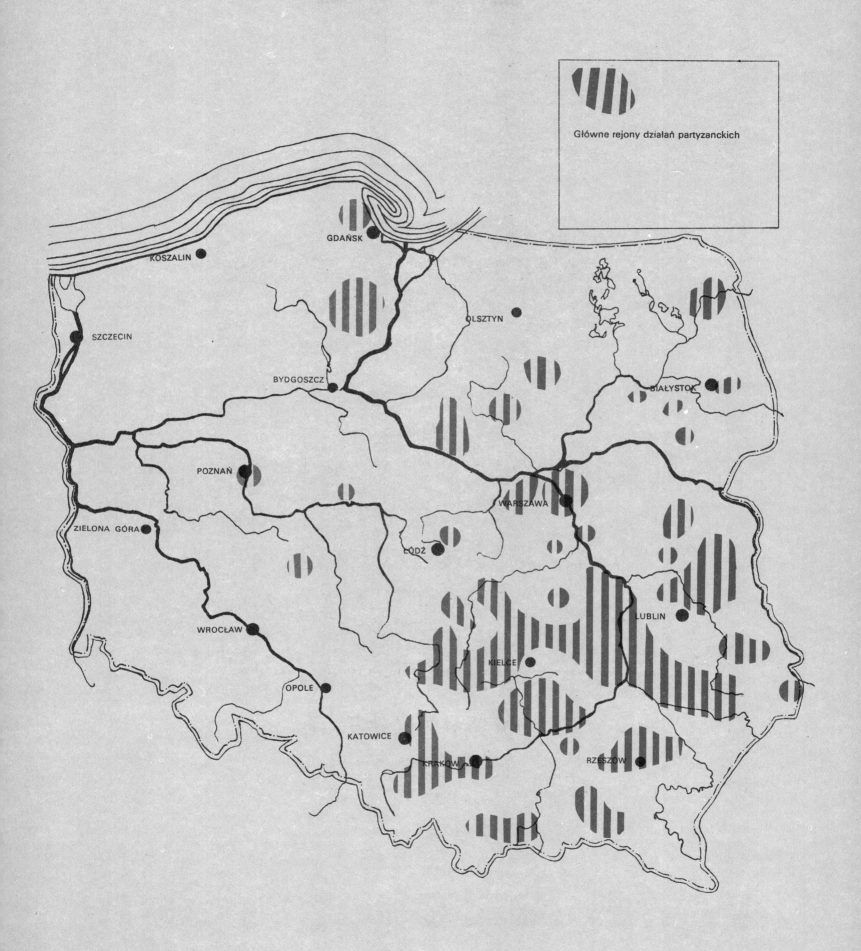

Główne rejony działań partyzanckich

POLICHNO
ŚWIĘTA KATARZYNA
OPATÓW
PRZYSUCHA
WOJDA
RĄBLÓW
RZECZYCA ZIEMIAŃSKA
KRAŚNIK
UŚCIE GORLICKIE
OBIDOWA
STRUGA
POGORZEL
WARSZAWA

31

BOHATEROM WALK
W LATACH 1939 1945
O WYZWOLENIE
NARODU POLSKIEGO
SPOD HITLEROW-
SKIEJ OKUPACJI
PARTYZANTOM
ZIEMI KIELECKIEJ
W XX ROCZNICE
POWSTANIA PPR
SPOŁECZEŃSTWO
KIELECCZYZNY
ROK 1962

32

ŻOŁNIERZOM LUDOWEGO
WOJSKA POLSKIEGO BO
HATEROM ARMII RADZIEC
KIEJ I PARTYZANTOM ZIE
MI KIELECKIEJ WALCZĄ
CYM O WYZWOLENIE NA
RODU POLSKIEGO SPOD
OKUPACJI HITLEROW
SKIEJ SKŁADA HOŁD SPO
ŁECZEŃSTWO POWIATU
OPATOWSKIEGO W XX
ROCZNICĘ POWSTANIA
POLSKI LUDOWEJ

34

TU POD WOJDĄ
30 XII 1942
BATALIONY CHŁOPSKIE
I PARTYZANCI RADZIECCY
STOCZYLI PIERWSZĄ BITWĘ
Z HITLEROWSKIM
NAJEŹDŹCĄ
W OBRONIE
WYSIEDLANEJ LUDNOŚCI
ZAMOJSZCZYZNY

W XV ROCZNICĘ
SPOŁECZEŃSTWO
ZAMOJSZCZYZNY

BOHATEROM
PPR. GL. I AL
DZIAŁAJĄCYM
NA TERENIE
RZECZYCY
ZIEMIAŃSKIEJ
W LATACH
1942 – 1944

SKŁADA HOŁD
SPOŁECZEŃSTWO LUBELSZCZYZNY
1958 R.

44

48

49

ŻOŁNIERZOM
RUCHU OPORU
KTÓRZY W LATACH OKUPACJI HITLEROWSKIEJ
w POLSCE
w WALCE o POLSKIE SZYNY
NA TRASIE
OTWOCK-POGORZEL-PIŁAWA
NISZCZYLI TRANSPORTY
z WOJSKIEM i SPRZĘTEM WROGA
26.V.70 SPOŁECZEŃSTWO m. OTWOCKIEGO

50

W TYM MIEJSCU
DNIA 24·X·1942 R. ODDZIAŁ
GWARDII LUDOWEJ POD DOWÓDZTWEM
ROMANA BOGUCKIEGO
>ROMAN<
OBRZUCIŁ GRANATAMI
HITLEROWSKĄ KAWIARNIĘ
CAFE—CLUB W ODWET ZA 50
POWIESZONYCH CZŁONKÓW P.P.R.
DNIA 11·VII·1943 R. ODDZIAŁ GWARDII
LUDOWEJ POD DOWÓDZTWEM
MIROSŁAWA KRAJEWSKIEGO
>PIETREK<
DOKONAŁ ZAMACHU NA
CAFE—CLUB W ODWET ZA
ROZSTRZELANIE 200 WIĘŹNIÓW
POLITYCZNYCH Z >PAWIAKA<

WMUROWANO W 10 ROCZNICĘ
POWSTANIA POLSKIEJ
PARTII ROBOTNICZEJ
1942   1952

52

W TYM MIEJSCU
DNIA 26 MARCA 1943 R
ODDZIAŁ HARCERSKICH
GRUP SZTURMOWYCH
„SZARYCH SZEREGÓW"
PRZEPROWADZIŁ
UDANĄ AKCJĘ BOJOWĄ
UWALNIAJĄC
25 WIĘŹNIÓW
PRZEWOŻONYCH PRZEZ
GESTAPOWCÓW Z ALEI
SZUCHA NA PAWIAK

54

NIEŚMIERTELNYM BOHATEROM
WARSZAWSKIEMU SZTABOWI
ARMII LUDOWEJ
PŁK. KOWALSKIEMU BOLESŁAWO...
PŁK. NOWICKIEMU STANISŁAWO...
PPŁK. KURLANDOWI STANISŁAW...
MJR. LANOCIE EDWARDOW...
MJR. WOŹNIAKOWI HENRY...
MJR. MATWIECKIEMU NA...
WI...

WALCZYLI
POD
SZTANDARAMI
PPR
ZGINĘLI
NA SZUBIENICACH
Z RĄK
HITLEROWCÓW
16·X·1942

CZEŚĆ ICH PAMIĘCI

58

62

27 · Polichno – Pomnik ku czci bohaterskich partyzantów z oddziału Gwardii Ludowej im. Stefana Czarnieckiego, którzy pod dowództwem Franciszka Zubrzyckiego („Małego Franka") w dniu 10.VI.1942 r. wysadzili niemiecki pociąg wojskowy, a następnie stoczyli swą pierwszą partyzancką walkę ze znacznymi siłami hitlerowców.
Proj. pomnika – A. Biłas

28 · Polichno – Pomnik na miejscu partyzanckiego boju oddziału Gwardii Ludowej im. Stefana Czarnieckiego.

29 · Polichno – Fragment pomnika partyzantów Gwardii Ludowej.

30 · Polichno – Pomnik partyzantów Gwardii Ludowej.

31 · Święta Katarzyna – Pomnik poległych partyzantów i ofiar hitlerowskiego terroru wzniesiony na skraju Puszczy Jodłowej, w której przebywały oddziały partyzanckie różnych ugrupowań. Tereny te były miejscem licznych walk i pacyfikacji.
Proj. pomnika – Z. Wolska

32 · Święta Katarzyna – Fragment pomnika poległych partyzantów i ofiar terroru.

33 · Opatów – Pomnik wzniesiony przez społeczeństwo ziemi opatowskiej w hołdzie poległym bojownikom o wyzwolenie narodu polskiego spod jarzma hitlerowskiej okupacji. Pomnik jest symbolem braterstwa broni wszystkich żołnierzy walczących o wyzwolenie Polski.

34 · Opatów – Fragment pomnika.

35 · Przysucha – Pomnik ku czci poległych partyzantów walczących w latach 1939–1945 o narodowe i społeczne wyzwolenie. W okresie okupacji hitlerowskiej w tym rejonie stoczono wiele walk partyzanckich. W 20 rocznicę powstania Polskiej Rzeczypospolitej Ludowej miejscowe społeczeństwo wzniosło pomnik.
Proj. pomnika – Z. Wolska

36 · Przysucha – Fragment pomnika.

37 · Przysucha – Fragment pomnika z rzeźbą przedstawiającą walczących partyzantów.

38 · Wojda – Pomnik ku czci partyzantów Batalionów Chłopskich i partyzantów radzieckich, którzy w dniu 30 grudnia 1942 r. stoczyli tu bitwę z jednostką hitlerowskiej policji, przeprowadzającą ekspedycję karną przeciw ludności cywilnej. Była to pierwsza bitwa w obronie wysiedlanej ludności polskiej na Zamojszczyźnie. W walce tej partyzanci polscy i radzieccy zadali Niemcom poważne straty.

39 · Rąblów – Głaz pamiątkowy na miejscu partyzanckiej bitwy stoczonej w dniu 14.V.1944 r., wzniesiony wkrótce po wojnie przez społeczeństwo ziemi puławskiej.
Proj. pomnika – S. Gosławski

40 · Rąblów – Głaz pamiątkowy na miejscu partyzanckiej bitwy.

41 · Rąblów – Pomnik bohaterskich partyzantów Armii Ludowej, którzy 14.V.1944 r. pod dowództwem płk. „Mietka" (Mieczysława Moczara) stoczyli wraz z oddziałem partyzantów radzieckich zwycięską bitwę z przytłaczającymi siłami wroga.
Proj. pomnika – S. Strzyżyński, J. Olejnicki

42 · Rąblów – Fragment pomnika z rzeźbą przedstawiającą grupę partyzantów.

43 · Rzeczyca Ziemiańska – Pomnik ku czci poległych w latach 1942–1944 partyzantów Gwardii Ludowej i Armii Ludowej, działaczy Polskiej Partii Robotniczej, którzy w latach okupacji hitlerowskiej działali na terenie Rzeczycy. Pomnik wybudowany na miejscowym cmentarzu, gdzie znajdują się mogiły poległych.

44 · Kraśnik – Pomnik partyzantów polskich wzniesiony w centralnym punkcie miasta przez społeczeństwo powiatu kraśnickiego. W latach hitlerowskiej okupacji partyzanci stoczyli w tym rejonie wiele walk. Kilkudziesięciu z nich, poległych w walce z Niemcami, pochowano w wydzielonej kwaterze na miejscowym cmentarzu.

45 · Kraśnik – Pomnik partyzantów, fragment cokołu z rzeźbą.

46 · Uście Gorlickie – Pomnik ku czci zamordowanych partyzantów Gwardii Ludowej i Armii Ludowej rekrutujących się z tych terenów.

47 · Obidowa – Pomnik ku czci partyzantów poległych w latach 1942–1944. W tym okresie oddziały partyzanckie Gwardii Ludowej, współdziałając z partyzantami radzieckimi, przeprowadziły wiele udanych akcji przeciwko hitlerowskiemu okupantowi.
Proj. pomnika – A. Stopka

48 · Struga – Pomnik bohaterów ruchu oporu, żołnierzy Wojska Polskiego i Armii Radzieckiej, którzy polegli w latach okupacji hitlerowskiej oraz podczas walk na przedpolach Warszawy w 1944 r. Pomnik symbolizuje zwycięstwo. Na trójpoziomowej płycie dwa miecze Chrobrego przygważdżają hitlerowską swastykę.

49 · Pogorzel – Pomnik żołnierzy polskiego podziemia, którzy w latach hitlerowskiej okupacji toczyli „bitwę o szyny", wysadzając transporty kolejowe z wojskiem i sprzętem wroga.

50 · Pogorzel – Fragment pomnika żołnierzy ruchu oporu.

51 · Warszawa – Pomnik Ludowych Partyzantów wzniesiony dla uczczenia 20 rocznicy wymarszu z Warszawy (15.V.1942 r.) pierwszego oddziału partyzanckiego Gwardii Ludowej im. Stefana Czarnieckiego pod dowództwem Franciszka Zubrzyckiego („Małego Franka").
Proj. pomnika – W. Kowalik

52 · Warszawa — Tablica upamiętniająca akcje zbrojne Gwardii Ludowej w okresie hitlerowskiej okupacji, wmurowana na domu, gdzie wówczas mieściła się niemiecka kawiarnia Cafe-Club. Oddział Gwardii Ludowej pod dowództwem Romana Boguckiego ("Romana") dokonał w dniu 24.X.1942 r. śmiałego zamachu na lokal, obrzucając go granatami w odwet za powieszonych 50 działaczy PPR. W wyniku zamachu zginęło 4 hitlerowców, a 10 zostało rannych. W niespełna rok później, dnia 11.VII.1943 r., inna grupa Związku Walki Młodych dowodzona przez Mirosława Krajewskiego ("Pietrka") dokonała następnego zamachu w odwet za rozstrzelanie 200 więźniów politycznych z Pawiaka.

53 · Warszawa — Tablica pamiątkowa bojowej akcji harcerzy z grup szturmowych "Szare Szeregi", którzy w dniu 26.III.1943 r. uwolnili swego kolegę Janka Bytnara ("Rudego") oraz 24 innych więźniów przewożonych z siedziby Gestapo w Al. Szucha, do więzienia na Pawiaku. Tablica wmurowana w bezpośrednim sąsiedztwie miejsca akcji przy ul. Długiej.
Proj. pomnika — T. Sieklucki

54 · Warszawa — Fragment Pomnika Bohaterów Getta, wzniesionego w hołdzie walczącym w kwietniu 1943 r. powstańcom oraz ku czci ok. 400 tys. poległych i pomordowanych obywateli narodowości żydowskiej od października 1940 r. do połowy maja 1943 r.
Proj. pomnika — N. Rappaport, L. M. Suzin

55 · Warszawa — Głaz upamiętniający miejsce zamachu na kata Warszawy — dowódcę SS i policji okręgu warszawskiego — hitlerowskiego generała Franza Kutscherę. Zamachu dokonała grupa dywersyjna Armii Krajowej w dniu 1.II.1944 r.

56 · Warszawa — Płyta pamiątkowa na wspólnej mogile członków Warszawskiego Sztabu Armii Ludowej, którzy polegli w czasie Powstania Warszawskiego w 1944 r. W marcu 1945 r. prochy 6 członków Sztabu Warszawskiego AL zostały przeniesione do wspólnej mogiły na skwerze znajdującym się na Krakowskim Przedmieściu w pobliżu ul. Bednarskiej.

57 · Warszawa — Cmentarz Powstańców Warszawy na Woli. Kwatera poległych żołnierzy Powstania Warszawskiego w 1944 r. Na cmentarzu tym znajduje się 177 zbiorowych mogił, w których spoczywa ponad 40 tysięcy powstańców oraz pomordowanych mieszkańców Warszawy przez żołdaków gen. Heinza Reinefartha i ofiar hitlerowskiego ludobóistwa z okresu Powstania.

58 · Warszawa — Cmentarz Komunalny (dawny Wojskowy) na Powązkach. Obelisk ku czci 50 członków Polskiej Partii Robotniczej powieszonych przez hitlerowców w Warszawie w dniu 16.X.1942 r.
Proj. pomnika — Z. Stępiński

59 · Warszawa — Cmentarz Komunalny na Powązkach. Pomnik żołnierzy Armii Krajowej poległych w latach okupacji hitlerowskiej oraz żołnierzy Powstania Warszawskiego.

60 · Warszawa — Cmentarz Komunalny na Powązkach. Kwatera żołnierzy Armii Krajowej poległych w czasie Powstania Warszawskiego w 1944 r. oraz w latach hitlerowskiej okupacji.

61 · Warszawa — Cmentarz Komunalny na Powązkach. Kwatera żołnierzy AK z batalionu "Parasol" poległych w czasie Powstania Warszawskiego.

62 · Warszawa — Cmentarz Komunalny na Powązkach. Kwatera poległych żołnierzy batalionu szturmowego AL im. Czwartaków.

63 · Warszawa — Cmentarz Komunalny na Powązkach. Pomnik ku czci żołnierzy 1 Samodzielnej Brygady Spadochronowej i "Cichociemnych" poległych podczas II wojny światowej. Na pomniku nazwiska poległych.
Proj. pomnika — M. Łypaczewski

Wyzwolenie

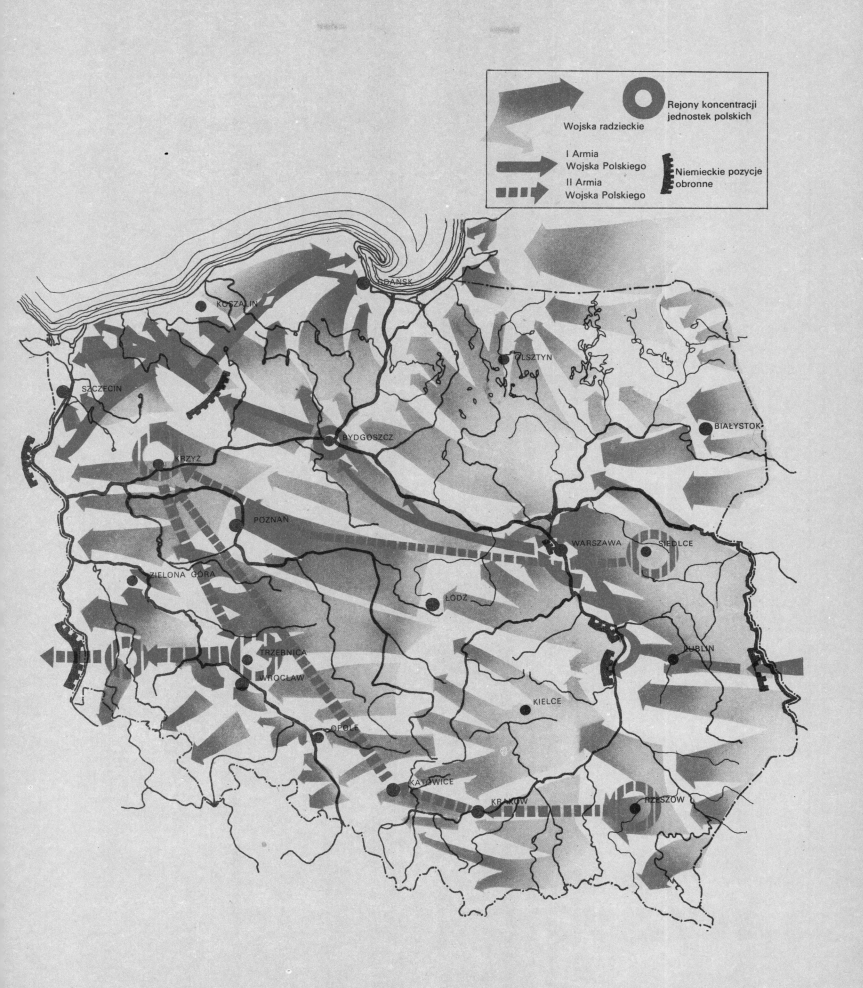

Wojska radzieckie

I Armia
Wojska Polskiego

II Armia
Wojska Polskiego

Rejony koncentracji
jednostek polskich

Niemieckie pozycje
obronne

SZCZECIN

KOSZALIN

GDAŃSK

OLSZTYN

BIAŁYSTOK

KRZYŻ

BYDGOSZCZ

POZNAŃ

WARSZAWA

SIEDLCE

ZIELONA GÓRA

ŁÓDŹ

TRZEBNICA

DUBLIN

WROCŁAW

KIELCE

OPOLE

KATOWICE

KRAKÓW

RZESZÓW

LUBLIN
KRASNYSTAW
STUDZIANKI
WARSZAWA
POZNAŃ
WAŁ POMORSKI
PODGAJE
DRAWSKO POMORSKIE
BYTÓW
KOŁOBRZEG
KAMIEŃ POMORSKI
GDAŃSK
SIEKIERKI
ZGORZELEC
SOPOT

64

65

67

68

CHWAŁA BOHATEROM
ARMII RADZIECKIEJ

TOWARZYSZOM BRONI
KTÓRZY ODDALI SWE ŻYCIE
ZA WOLNOŚĆ
I NIEPODLEGŁOŚĆ
NARODU POLSKIEGO
POMNIK TEN WZNIEŚLI
MIESZKAŃCY WARSZAWY
1945 R

74

75

2 LUTEGO 1945 R.
10 P.P. 4 D.P. I 16 P.P. 6 D.P.
ZDOBYŁY JASTROWIE
SILNY PUNKT OPORU
WOJSK NIEMIECKICH
NA PRZEDPOLACH
WAŁU POMORSKIEGO

...ĘCIA BOHATEROW-MĘCZENNIKÓW POLEGLI...

CHOR. ZDZISŁAW PIŁAWA
PLUT. WALENTY LEŚNIEWSKI
KPR. GRZEGORZ BONDARCZUK
KPR. JÓZEF ŁOZOWSKI
ST. SZER. WŁODZIMIERZ NOWAKOWSKI
ST. SZER. WŁODZIMIERZ HANULAK
ST. SZER. ZYGMUNT BIERNACKI
ST. SZER. TADEUSZ MICHALSKI
ST. SZER. JÓZEF RACZYŃSKI
ST. SZER. ANTONI SOŁOWIEJ
ST. SZER. ALEKSANDER TEODOROWICZ
SZER. OTTO WEUSBER
SZER. FELIKS BUJEWICZ
SZER. DANIEL CIECILĄGY
SZER. STEFAN DARMAPUS
SZER. HENRYK DEPUTAT
SZER. MARIAN DZIADAS
SZER. STANISŁAW KOTWICKI
SZER. PIOTR LEWSZA
SZER. ALEKSANDER MORDAN
SZER. KAROL NADZIEJOWSKI
SZER. ALBIN MIKSZA
SZER. MAKSYMILIAN NOWOSAD
SZER. STANISŁAW PIETEK
SZER. TADEUSZ PODLEŚ
SZER. ZYGMUNT PRZYPIS
SZER. ANTONI SZPIGUN
SZER. JÓZEF SUTEK
SZER. JAN SKÓRA
SZER. HENRYK WILK
SZER. EDWARD WŁOSKOW...
SZER. JULIAN WOŹNI...

...ŚĆ ICH PAMIĘC...

W TYM MIEJSCU 15 MARCA
1945 ROKU DOKONANO
HISTORYCZNEGO AKTU
ZAŚLUBIN Z BAŁTYKIEM

STULECIA MINĘŁY
I ZNÓW NAD TWOIM
BRZEGIEM STOIMY
BYLIŚMY TU I BĘDZIEMY

W XX. ROCZNICĘ POWSTANIA
LUDOWEGO WOJSKA POLSKIEGO
PAŹDZIERNIK 1963

93

97

WOJSKO POLSKIE
W WALCE
Z FASZYZMEM I HITLERYZMEM

NARWIK
28-31/V 1940 R

LE GARDE ST HIPPODYTE-MAICHE
17-19/VI 1940 R

BITWA O W. BRYTANIE
VIII-IX- 1940 R

TOBRUK
19/VIII-10/XII 1941 R

MONTE CASSINO
11-18/V 1944 R

FALAISE-CHAMBOIS
8-21/VIII 1944 R

ARNHEM
18-25/IX 1944 R

POLSKIE ODDZIAŁY PARTYZANCKIE
FRANCUSKIEGO RUCHU OPORU

ETANG SUR AUROUX
12/VII 1944 R

AUTUN
8/VIII 1944 R

WOJSKO POLSKIE
W WALCE Z HITLERYZMEM

PARTYZANTKA
DYWERSJA
SABOTAŻ

GWARDIA LUDOWA
ARMIA LUDOWA
BATALIONY CHŁOPSKIE
ARMIA KRAJOWA
MILICJA LUDOWA
WARSZAWA
1939-1945 R
PARTYZANTKA 15/V 1942-31/VIII 1944 R
GHETTO 20/IV-10/V 1943 R
POWSTANIE 1/VIII - 2/X 1944 R
ZIEMIA LUBELSKA
1942-1944 R
ZIEMIA KIELECKA I RADOMSKA
1942-1945 R
ZAMOJSZCZYZNA
1942-1944 R
ZIEMIA MAZOWIECKA
1942-1945 R
ZIEMIA KRAKOWSKA
1943-1945 R
ZIEMIA PŁOCKA
1943-1945 R
ZIEMIA ŚLĄSKA
1943-1945 R

WOJSKO POLSKIE
W WALCE
Z FASZYZMEM I HITLERYZMEM

LENINO
12-13/X 1943 R

DARNICA
8/IV 1944 R

DOLSK-DOROHUSK
14-21/VII 1944 R

PUŁAWY
1-4/VIII 1944 R

DĘBLIN
2/VIII 1944 R

STUDZIANKA-WARKA
10/VIII -12/IX 1944 R

KĘPA RADWANKOWSKA
22-26/VIII 1944 R

PRAGA
10-14/IX 1944 R

IAKOW - ŻOLIB
11-23/IX 1944 R

CHOMIN - JABŁONNA
14-18/X 1944

64 · Lublin – Kwatera żołnierzy Wojska Polskiego, którzy polegli w obronie Lublina.

65 · Krasnystaw – Pomnik wzniesiony w hołdzie żołnierzom Wojska Polskiego, partyzantom oraz więźniom hitlerowskich obozów, którzy oddali swe życie w obronie ojczyzny w latach 1939–1945.
Proj. pomnika – J. Ciechań

66 · Studzianki – Pomnik żołnierzy Wojska Polskiego wzniesiony na miejscu zaciętej bitwy stoczonej w dniach 9–15.VIII.1944 r. przez 1 Brygadę Pancerną im. Bohaterów Westerplatte, która wspierała jednostki radzieckiej 8 Armii Gwardii walczące z niemieckimi oddziałami spadochroniarzy i jednostkami pancernymi. Podstawa pod czołg biorący udział w bitwie stanowi równocześnie kryptę z prochami poległych.

67 · Studzianki – Pomnik-Mauzoleum żołnierzy Wojska Polskiego. Tablice stanowią zasadniczy element Mauzoleum, wyryto na nich nazwiska poległych żołnierzy.

68 · Studzianki – Pomnik-Mauzoleum, 94 tablice z nazwiskami poległych żołnierzy ustawione na tle wału okalającego teren.

69 · Warszawa – Pomnik Braterstwa Broni, dzieło polskich i radzieckich rzeźbiarzy, wzniesiony przez społeczeństwo Warszawy dla upamiętnienia wspólnych walk wojsk radzieckich i odrodzonego Wojska Polskiego z hitlerowskim najeźdźcą.

70 · Warszawa – Pomnik Braterstwa Broni. Fragment pomnika z rzeźbą na cokole, przedstawiającą atak żołnierzy radzieckich.

71 · Warszawa – Płyta Czerniakowska. Tablica upamiętniająca miejsce desantu żołnierzy ludowego Wojska Polskiego, którzy spiesząc z pomocą walczącemu ludowi Warszawy podczas Powstania Warszawskiego, stoczyli nierówny bój z przeważającymi siłami wojsk hitlerowskich. Śmiercią walecznych zginęło tu 2056 żołnierzy i oficerów Wojska Polskiego i Armii Radzieckiej oraz setki powstańców Czerniakowa i Solca.

72 · Warszawa – Fragment pomnika Żołnierzy 1 Armii Wojska Polskiego. Pomnik wzniesiono ku czci odrodzonego Wojska Polskiego w 20 rocznicę bitwy pod Lenino.
Proj. pomnika – X. Dunikowski

73 · Poznań – Cytadela. Pomnik-Mauzoleum żołnierzy radzieckich i polskich poległych w walkach o Cytadelę w styczniu i lutym 1945 r. Polegli pochowani są na cmentarzu wojskowym na stokach Cytadeli.
Proj. pomnika – B. Wojtowicz, K. Bieńkowski, C. Woźniak

74 · Poznań – Cytadela. Pomnik ku czci obywateli Poznania, którzy polegli walcząc u boku Armii Radzieckiej w walce o wyzwolenie miasta spod okupacji niemieckiej.
Proj. pomnika – R. Skupin

75 · Poznań – Cytadela. Fragment pomnika z tablicą ku czci poległych obywateli miasta.

76 · Wał Pomorski – Głaz upamiętniający zwycięską bitwę żołnierzy 10 pułku piechoty 4 dywizji i 16 pułku 6 dywizji Wojska Polskiego o Jastrowie, które w wyniku zaciętych walk z Niemcami zdobyli w nocy z 2 na 3 lutego 1945 r. Jastrowie było wówczas silnym punktem oporu wojsk niemieckich na przedpolach Wału Pomorskiego.
Proj. pomnika – Z. Korpalski

77 · Podgaje – Pomnik ku czci bestialsko zamordowanych 37 żołnierzy 1 Armii Wojska Polskiego, którzy w czasie działań wojennych w lutym 1945 r. dostali się do niewoli niemieckiej, a następnie zostali żywcem spaleni w stodole przez żołnierzy Wehrmachtu.
Proj. pomnika – Z. Szulc, R. Moroz

78 · Podgaje – Fragment pomnika żołnierzy 1 Armii poległych męczeńską śmiercią z rąk hitlerowskich zbrodniarzy.

79 · Podgaje – Fragment pomnika z wyrytymi nazwiskami żołnierzy polskich, których hitlerowcy spalili żywcem.

80 · Drawsko Pomorskie – Pomnik żołnierzy 1 Armii Wojska Polskiego, którzy polegli w ciężkich walkach z hitlerowskimi wojskami o wyzwolenie ziemi drawskiej. Pomnik wznosi się na cmentarzu wojskowym, gdzie spoczywają prochy 3449 żołnierzy polskich poległych w tych okolicach.
Proj. pomnika – M. Zapolnik, R. Grodzki

81 · Drawsko Pomorskie – Cmentarz żołnierzy 1 Armii Wojska Polskiego, którzy oddali swe życie w walce o powrót tych ziem do Macierzy. Żołnierze spoczywają tu w zbiorowych mogiłach. Na granitowych tablicach nazwiska poległych.

82 · Drawsko Pomorskie – Fragment cmentarza żołnierzy odrodzonego Wojska Polskiego.

83 · Bytów – Pomnik ku czci bojowników o wolność i polskość ziemi bytowskiej.
Proj. pomnika – Z. Szulc, R. Moroz

84 · Kołobrzeg – Pomnik Zaślubin Polski z Morzem, upamiętnia zwycięstwo oręża polskiego i symboliczny akt zaślubin polskiego żołnierza z Bałtykiem (18.III.1945 r.) Pomnik wznosi się nad brzegiem morza koło latarni morskiej.
Proj. pomnika – W. Tołkin

85 · Kołobrzeg – Fragment pomnika. Rzeźba przedstawiająca żołnierzy Wojska Polskiego podczas symbolicznego aktu zaślubin z Bałtykiem.

86 · Kołobrzeg – Fragment Pomnika Zaślubin Polski z Morzem.

OPRACOWANIE GRAFICZNE: MACIEJ HIBNER

FOTOGRAFIE WYKONAŁ: ADAM KACZKOWSKI

ZDJĘCIA ARCHIWALNE: WAF, CAF.

OPRACOWAŁ ZESPÓŁ REDAKCYJNY
PRZY WSPÓŁPRACY
Z RADĄ OCHRONY POMNIKÓW WALKI I MĘCZEŃSTWA,
WOJSKOWYM INSTYTUTEM HISTORYCZNYM,
PRACOWNIAMI SZTUK PLASTYCZNYCH

OPISY MATERIAŁU ILUSTRACYJNEGO: ZBIGNIEW REIFF

KONSULTACJA MERYTORYCZNA: EUGENIUSZ KOZŁOWSKI

TŁUMACZENIA:
ZARA BADOWSKA NA JĘZYK ROSYJSKI
GENEVIÈVE LEIDER NA JĘZYK FRANCUSKI
MARIA PACZYŃSKA NA JĘZYKI ANGIELSKI I NIEMIECKI

REDAKTOR TECHNICZNY: EDWARD REMISZEWSKI
KOREKTOR: ELŻBIETA SZYSZKOWSKA
NADZÓR POLIGRAFICZNY:
JÓZEF BESTER, TERESA ŻÓŁTOWSKA, JERZY DZIERŻAWSKI

WYDAWNICTWO „RUCH"
Warszawa 1970 r. Wydanie pierwsze
Nakład 5000 + 260 egz. Ark. wyd. 31,2, ark. druk. 25,8
Papier rotograwiurowy kl. III, 140 g. 70 × 100
z fabryki we Włocławku
Skład techniką „Monofoto", reprodukcje w technice
rotograwiurowej i prace introligatorskie
wyk. ZG „Dom Słowa Polskiego" w Warszawie. Zam. 1452/A/70
Reprodukcje w technice offsetowej wyk. ZG „Ruch"
w Warszawie. Zam. 5117
Nr prod. II-4/69/A. K-56
CENA zł 150.—